JN146148

登場人物紹介

姉…及川ナリコ

中学２年生。本が大好きで活動的な女の子。
夏休みの自由研究でアニメーションについて調べている。
おこると怖い。

弟…及川リョウ

小学５年生。元気でサッカーが大好きな男の子。
いろんなことに興味しんしん。
ちょっとお調子者。「～だし」が口癖。

ヤブシタ博士

白いヒゲがトレードマークのアニメーション研究家。
アニメーションの歴史にもくわしい。
博士の研究所にはもしかしたらタイムマシーンがあるのかも。

タマコ

白い毛並みにクロブチの日本ネコ。
博士の助手？　人の言葉がわかる…らしい。
twittamako（ツイッタマコ）でつぶやくのが趣味。

マンガで探検！

アニメーションのひみつ 1

ソーマトロープをつくろう

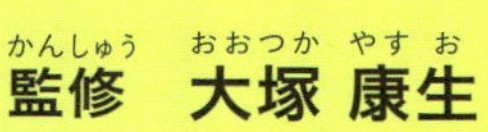
監修　大塚 康生
Director: OTSUKA Yasuo

編著　叶 精二
Author: KANOH Seiji

漫画　田川 聡一
Manga Artist: TAGAWA Soichi

ソーマトロープ画　わたなべさちよ・和田 敏克・小田部 羊一・大塚 康生
Animators: WATANABE Sachiyo, WADA Toshikatsu, KOTABE Yoichi, OTSUKA Yasuo

もくじ

第1ステージ 8本足のバイソン
動物と動画のとくべつな関係

姉ちゃんいっつも図書館でかりた本ばっか読んでるのに今日はどゆこと？

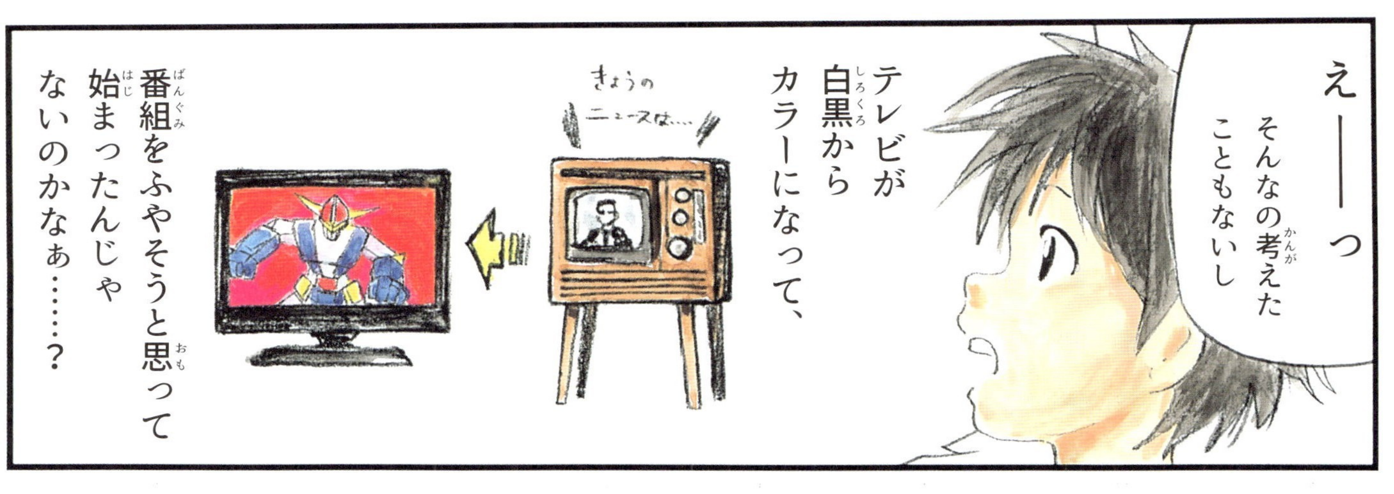

あんたはアニメとゲームばっかでマンガの本だって読まないじゃない。今日はおとなしくするのよ！

博士の助手のタマコだニャー。ページ下（このあたり）のtwittamako（ツイッタマコ）では、ミニ解説をしていくニャ

博士の書いた『漫画映画は子供のものじゃ！』は、昔の日本のアニメーションについての本ですニャ

twittamako
スペイン語で「ALTA（アルタ）」は「高い」、「MIRA（ミラ）」は「視力」。「見晴らしのよい場所」という意味だニャー

洞窟を探険して「壁画」を観察しよう

「わーっ、いまにも動き出しそうな動物の絵がいっぱい……」

「ウシとウマ……これはイノシシかな。すっげーうまいし」

「歴史の教科書で小さな画像は見たけど、こんなにスゴイものだったのね……」

「姉ちゃん、あれ見て！　あの丸まっている牛！　なんか3Dみたい！」

「ホントだ！　生きているみたい！」

「あれは、わざと丸く突き出した岩に描いたんじゃろうのう。描かれているのは牛の仲間、バイソンじゃ。おそらく、本物そっくりに描こうと懸命に工夫したんじゃ」

「いったい、いつごろ描かれた絵なの？」

「それぞれの絵は同じ時期に描かれたものではないが、いまから約1万9000年〜1万4000年ほど前に描かれたと言われておる。おそらく人類最古の絵のひとつじゃろう」

上の壁画に描かれているバイソンはこんなポーズでうずくまっているのだニャ

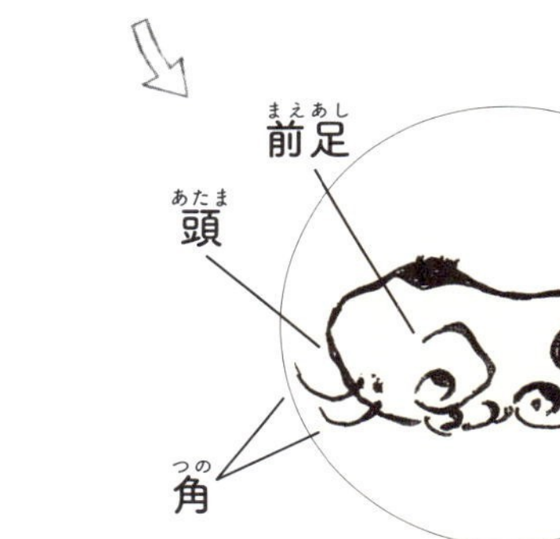

「1万年以上前って……まだ恐竜とかいた時代？」

「ンなわけないでしょ！　恐竜絶滅はもっとずーっと前！」

「その通り！　恐竜絶滅は6500万年以上前じゃ。でもマンモスはいたと思うゾ」

「マンモス!!」

「旧石器時代、つまりわしらの先祖、クロマニヨン人とよばれる人びとが石の槍や斧を使って狩を行い、洞窟に住んでいた時代じゃ」

「じゃあ、鉛筆とか筆とかもないんでしょ？　こんなに上手な絵をどうやって描いたの？」

「指で岩の上に絵の具を染みこませたり、吹きつけたり、石で削ったりして描いたようじゃな。何度もなぞったりしている跡もあるから、何世代にもわたって描きつづけていたのかもしれんなぁ」

「電気もなにもない頃に暗い洞窟のなかでどうやって描いたんでしょう？」

「動物という言葉は漢字で「動く物」と書くじゃろう。激しく動く物たちを、まず正確に記憶して、たいまつや動物の脂に火をともしたランプなどのわずかな火だけを頼りに、たぶん気の遠くなるような長い時間をかけて描いたんじゃろう」

「クロマニヨン人すげぇ！　そんなことまでできたなんて！」

「絵の具はどうやってつくっていたんですか？」

twittamako

石をスプーンのような形に削ったところに動物の脂を入れて燃やすランプをつくっていたクロマニヨン人もいたんだニャー

「絵の具は濃い色の岩や土や木、貝殻などを燃やした灰を、水や動物の脂と混ぜてつくったらしい。いまでいう「顔料」というものじゃよ。アルタミラの壁画は、もともと雨風や太陽の光といった外からの影響を受けにくい洞窟の奥に描かれていたのじゃ。さらに約1万3000年前の落石によって洞窟の入り口がふさがってしまったことで、言わば天然の密室となった。その結果、色鮮やかな絵が消えてしまうことなく残ったそうじゃ。まさに奇跡じゃな」

「ホント、スゴすぎっ!!」

「まるでタイムカプセルみたいね」

「驚くのはまだ早いゾ。この洞窟の壁画を発見したのは、じつは君たちより小さい女の子とそのお父さんじゃ」

「エーッ!!」

「1879年、洞窟の領主でアマチュア考古学者のマルセリーノ・デ・サウトゥオラ侯爵が8歳の娘マリアを連れて洞窟に入ったとき、偶然見つけたそうじゃ。洞窟自体はずっと前に発見されていたのじゃが、子どもの好奇心にあふれた眼でなければ壁画は見つけられなかったのかもしれんな。実際、おとなたちはこの大発見を誰も信じようとせず、サウトゥオラ侯爵をうそつきと決めつけた。侯爵が死んで15年も経ってから正式な調査が行われて、ようやく認められたのじゃ」

「マリアちゃんとお父さん、かわいそうに……」

「おとなはいつだって子どもを信用しないんだっ！　この間もウチのお母さん、ぼくが忘れ物したって勘違いして怒るし……」

「ウチは関係ないでしょ！」

「関係あるよぉ！」

「リョウの忘れ物と世紀の発見をいっしょにすんなっ！」

「なにぃ〜っ！　オイカワ・ナリコ！　オイナリめっ！　食べちゃうゾっ」

「あんた、オイナリさんきらいのくせに」

「はっはっはっオイナリとは…まぁまぁ…、学者たちも信じられないくらいの大発見だったということじゃな。つぎはフランスのショーヴェ洞窟に行ってみようかの。ショーヴェの壁画はアルタミラよりもっと古くて、描かれたのはいまから約3万6000年前と言われておる。おそらく現在発見されているなかで最古の洞窟壁画のひとつじゃ」

博士のもう一言！

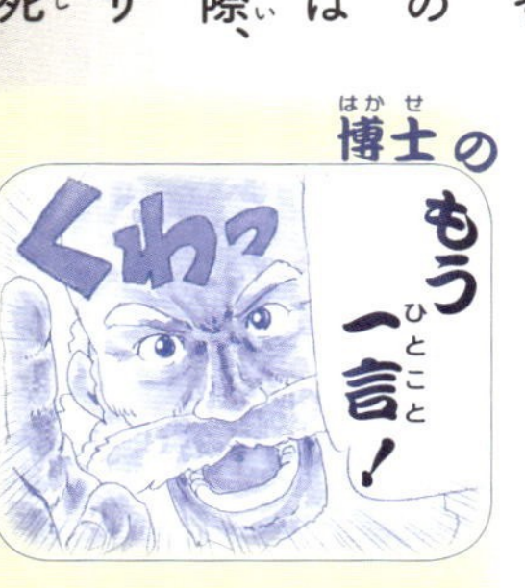

「アニメーションの起源」伝説じゃ

アルタミラ洞窟壁画には有名な「8本足のイノシシ」と呼ばれる作品があり、世界中で再現図やレプリカ（複製品）などが数多くつくられておった。アニメーション作家や研究者たちは、さまざまな本で「アルタミラ洞窟の8本足のイノシシがアニメーションの原点だ」と説いていたのじゃ。

これは最初に調査を行ったフランスの考古学者で牧師のアンリ・ブルイユらによって描かれた図面（描きおこし）に描かれていたことから広まったようじゃ。しかし、これは後の研究でイノシシではなく、バイソンだとわかった。しかも、現在は絵がほとんど消えかかっていて確認はむずかしいのじゃ。しかし、絵の下にもう一頭のバイソンかべつの絵が描かれていた跡があり、これが勘違いで世界に広まったというのが現在の通説じゃ。

「アニメーションの起源」は1994年にフランスのショーヴェ洞窟が発見されるまでは、はっきりとした証拠がないまま仮説として広まっていたと言えるのじゃ。

8本足のイノシシ？

ブルイユのスケッチより

ショーヴェ洞窟壁画はアルタミラ洞窟壁画の発見から100年以上あとの1994年に発見されたんだニャー

8本足の解釈その1

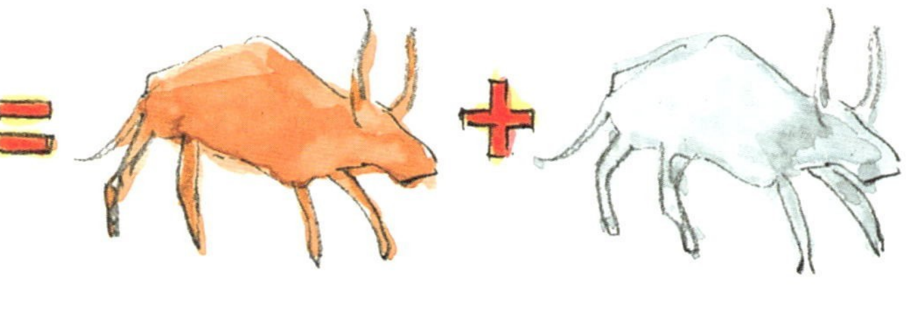

8本足の解釈その2

twittamako

ジャン=マリー・ショーヴェら3人の学者によって発見されたので、その名前にちなんでショーヴェ洞窟と言われているニャ

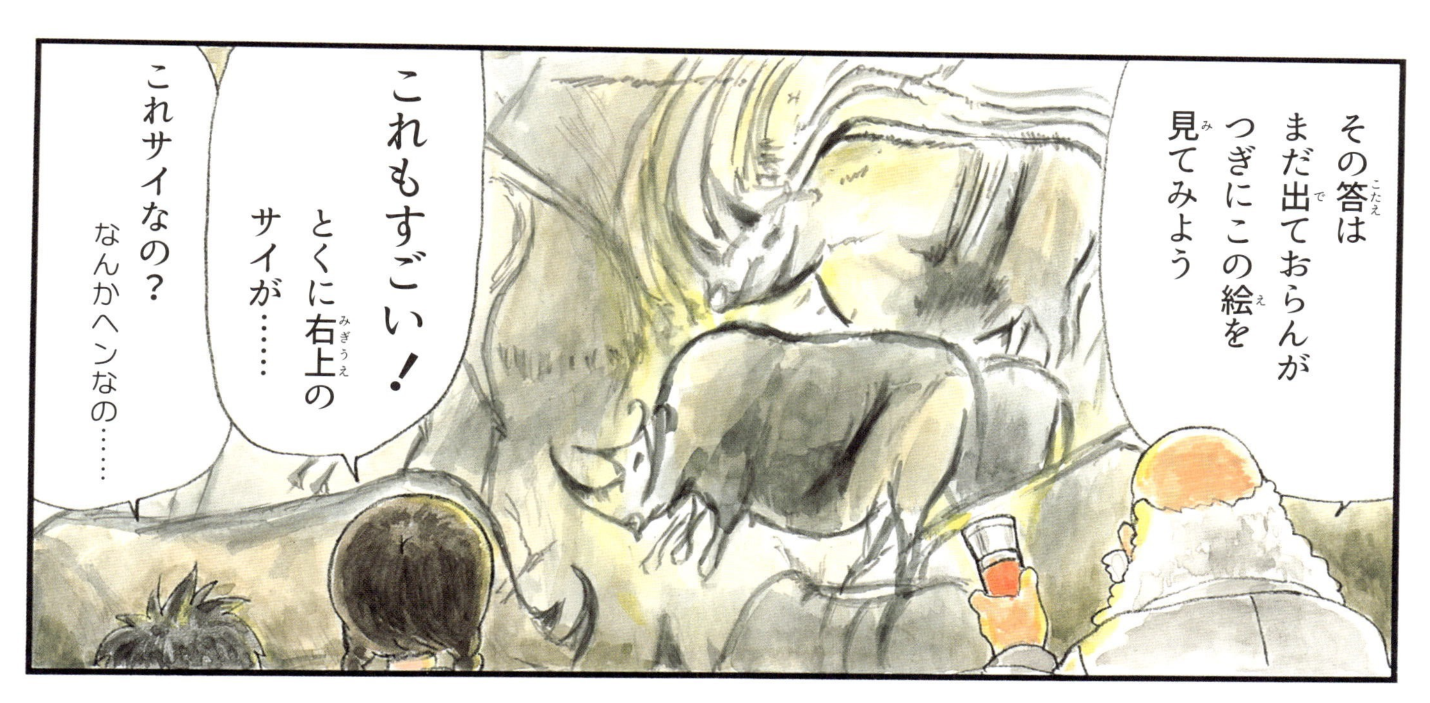

ショーヴェ洞窟には牛・馬・サイ・ライオン・フクロウ・ハイエナ・ヒョウなど13種類の動物が260点以上も描かれているニャ

twittamako
パラパラマンガは英語で「フリップブック（FLIP BOOK＝指ではじく本）」と言うのだニャー

このサイは約1万年前に絶滅した「毛サイ」ニャ。大きな2本のツノを持ち、体長は3メートル以上もあったそうだニャ

twittamako

ハットトリックとは、サッカーやアイスホッケーなどで、ひとりの選手が１試合に３回得点することだニャ

博士のもう一言！

まだまだあるゾ 洞窟壁画

アルタミラ洞窟やショーヴェ洞窟は世界遺産として登録されており、人類の祖先がどんな文化を持っていたのかを知らせてくれる大切な場所なのじゃ。同じく世界遺産のフランスのラスコー洞窟はとくに有名で、歴史の教科書にも載ることが多い。これは、約2万年前に描かれたウマ、ヤギ、ヒツジ、バイソンなどの壁画じゃ。なんと、ラスコーの壁画は1940年に4人の少年たちが偶然発見したものなのじゃ。アルタミラもラスコーも、子どもたちの好奇心から見つけ出されたのかもしれん。素晴らしいのう。

ほかにも、フランスのコスキュール海底洞窟、ラ・マルシュ洞窟、スペインのエルカスティーヨ洞窟などいくつもの洞窟で太古の壁画が発見されておる。しかし、多くの洞窟は現在立入禁止で、直接見ることは許されていないのじゃ。かつて、ラスコーやアルタミラは見学できたのじゃが、人の息にふくまれる二酸化炭素、人にくっついていた微生物や菌類などが増えてしまい、それらが岩の壁に影響をあたえて、表面がくずれたり、絵が消えかかってしまったためじゃ。それから洞窟内にエアコンを設置して温度を上げてしまったことも大きな要因だったと言われておる。つまり、1万年以上も保存されていたのは、人間が誰も近寄らなかったからだったというわけじゃ。

また、なぜ動物ばかりで人間や植物などはほとんど描かれていないのか、なぜわざわざ誰も入らないような暗く深い洞窟の奥に描かれたのか（住んでいたのは洞窟の入り口近くの明るい場所だったのじゃ）、なぜ天井や高い壁などの描きにくい場所を選んで描いたのかなど、まだまだ多くの謎が解けないまま残されているのじゃ。

人間はどうやって物を見ているの？

「タマコ！　照明を」

「ニャーッ」

「わぁっ、また明るくなった！」

「いつのまにか戻って来ていたのね」

「まぁ座ろう……ところで君たち、人間の眼は、どうやって物を見ているか知っているかね？」

「どうやってって…、ただそのまま見ているだけじゃないの？」

「光が眼の奥に集められて画像になって、それが脳に伝わると聞いたことがあります」

「ナリコ君はよく勉強しておるな！　人間は瞳でものを見ると、角膜と水晶体で光が屈折して、硝子体を通る。すべての光はいちばん奥（眼底）にある網膜に集められ、そこで初めて像を結ぶのじゃ。像は視神経を通って脳の視覚野に伝わり、映像として知覚されるというしくみじゃ」

「すいしょうたい？　もうまく？って??……ねえ、姉ちゃんってば！」

「いまメモとってるんだから話しかけないで!!」

「ちぇっ！」

「リョウ君、この眼球の図解をよく見てごらん」

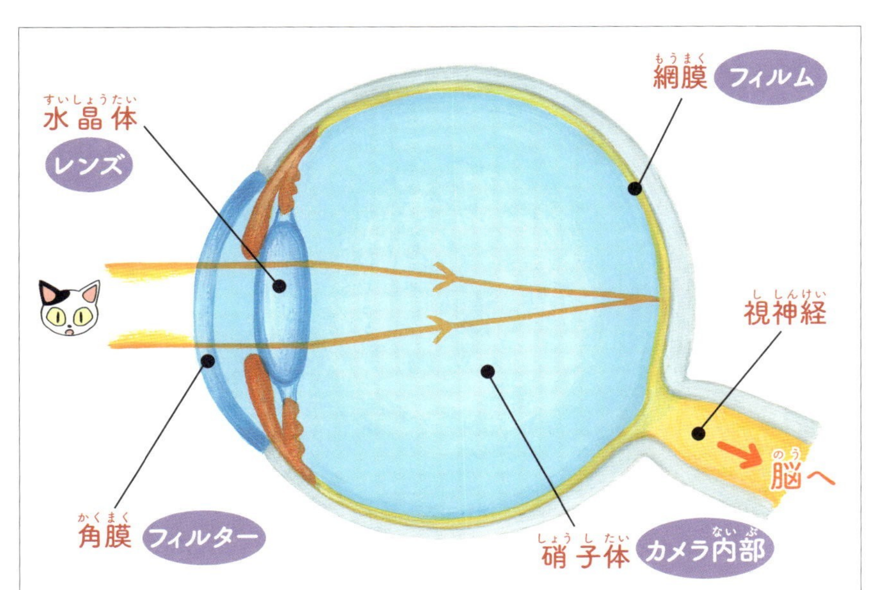

人間の眼球の絵：『そもそもなぜをサイエンス①空はどうして青いのか』（大月書店）より

眼球の奥行きは約24mm、水晶体と網膜の間に距離（硝子体）があることで像が完成するのだニャー

「ふうん…人間の眼ってレンズをくっつけたボールみたいになっているんだ…」

「昔のカメラとレンズやフィルムのしくみに似ているように見えます」

「いいところに気づいたのう。たしかに人間の眼の構造はアナログのカメラにたとえられることが多く、角膜はフィルター、水晶体はレンズ、網膜はフィルムのようなはたらきだと説明されることが多いのじゃ。じゃが、ほんとうはカメラよりもずっと複雑で繊細じゃ」

「カメラには、シャッターがありますよね。1枚1枚シャッターを押してデータを保存していますから、その間の画像は保存できませんよね。もし人間の眼にもシャッターみたいなものがあるとすれば、記録している間は何も見ていないことになるのでしょうか？」

「それは鋭い質問じゃのう。その質問に答える前に……たとえば、こうして素早く手を振ると、どう見える？」

「そりゃぁ、ぼやけて手がよく見えないし」

「半透明のかたまりみたいに見えます」

「そうじゃろう？　あまりに素早い動きを見たとき、幻のようにぼやけて見えてしまう」

「人間の眼のシャッタースピードが遅くて、記録中にブレてしまうんでしょうか」

「たしかに、高速で動く物をカメラで撮影するとブレごと撮影されてしまう。けれど、人間の視覚はカメラのシャッターのように1枚ずつ分解して記録するという単純な構造ではないようなのじゃ。ちょっとむずかしいかもしれんが、脳がたくみなはたらきで動きをつなげて感知していくのじゃ。むしろ動きそのものを丸ごと記録してしまうと言ったほうがわかりやすいかもしれんのう」

「動きそのものを記録する…うーん」

「全然わかんない…どーゆーこと？」

「回っている扇風機の羽根や、羽ばたくハチの羽はどう見えるかの？」

「そこだけはっきり見えなくて、羽がたくさんあるみたいに見えるっていうか…」

「ブレもふくめて間をつなげて脳が動きを認識している…ということでしょうか？」

「その通りじゃと思う。さっきのサイやバイソンも同じことかもしれん。人間が見極められない動きもふくめて、丸ごと絵で記録しようと試みたのじゃないか…とわしは思う」

「でも、サイの絵とアニメのどこがどうつながっているのか、まだよくわかんないや…」

「アニメの動きのしくみと関係があるんじゃないからしら？」

「ふたりともとてもよい疑問じゃな。では、その謎を解きに、第2ステージへ行こう!!　ヒントは「分解と再生」じゃ。タマコ、またスイッチを！」

「ニャーッ」

「また暗くなった！　つぎはどんなところへ行くのかな……あ、また明るくなった！」

「外国のどこかの街……みたいね」

twittamako
1秒間に羽ばたく数はミツバチが約200回、チョウチョが約10回くらいと言われているニャー

第2ステージ アニメーションのたまご
人間の眼のもうひとつのひみつ

twittamako

ソーマトロープはもともと、お医者さんの学会で眼のしくみを解説するために使われたものだったそうだニャ

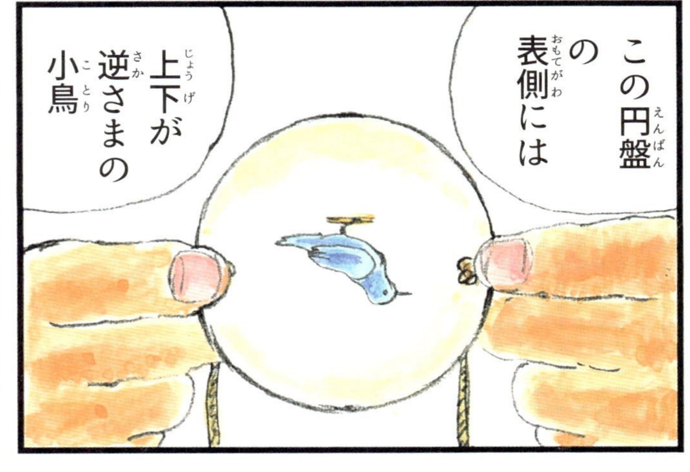

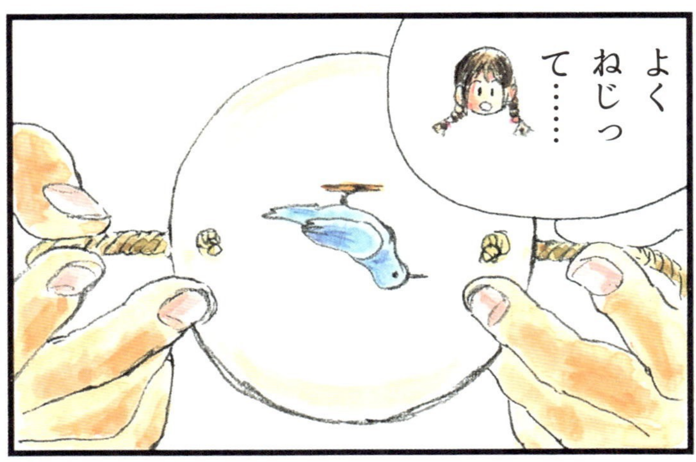

表側の絵を上下逆にするのは、縦の回転(↑↓)で絵の上下が入れ替わりながら回るからだニャー

デンデンダイコ方式（30ページ）のソーマトロープは横の回転（⇄）なので、上下逆にしなくていいのだニャー

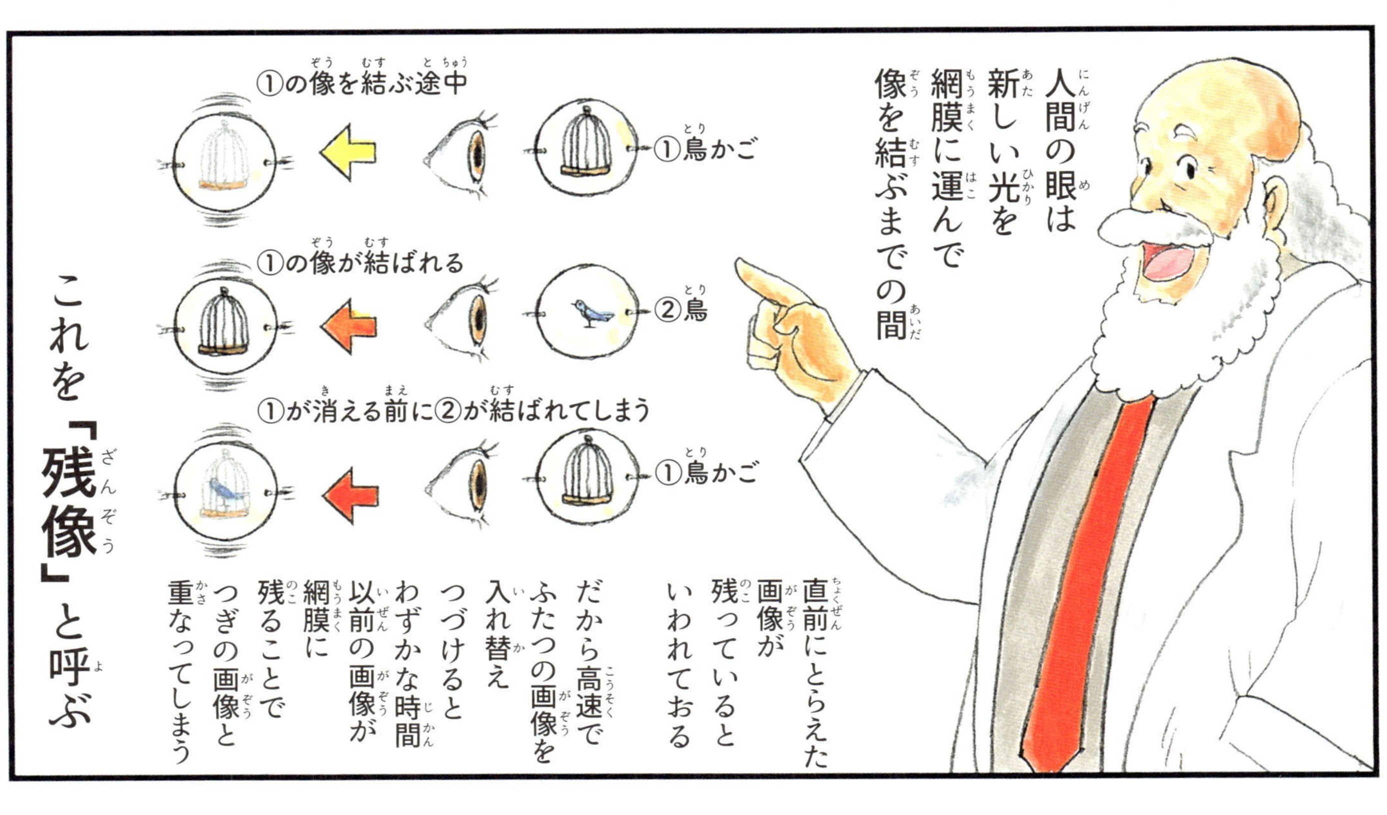

博士の持っているライトはふつうの懐中電灯だけど、見つめすぎると眼に悪いから**長い間見てはダメ**だニャ

twittamako
眼の残像は、指で肌を押すとしばらく跡が残ってしまうのと同じ原理だとも言われているニャー

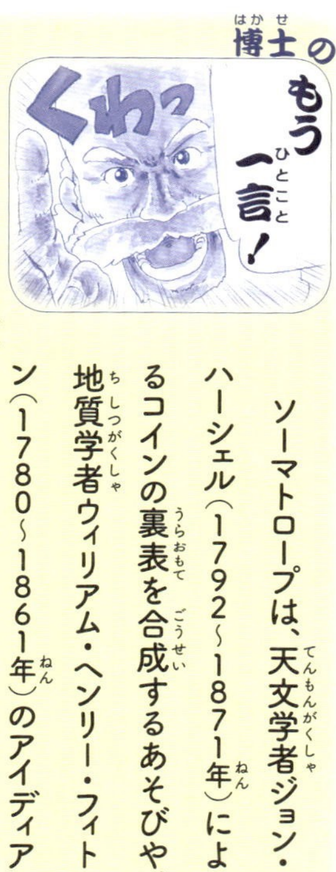

博士のもう一言！

ソーマトロープは、天文学者ジョン・ハーシェル（1792〜1871年）によるコインの裏表を合成するあそびや、地質学者ウィリアム・ヘンリー・フィトン（1780〜1861年）のアイディアをもとにイギリス人医師ジョン・アイルトン・パリ（1785〜1856年）が発明したと言われておる。数学者で発明家のチャールズ・バベッジ（1791〜1871年）が開発したという説もあるらしい。なにしろ200年近くも前の話なので、よくわからないことも多いのじゃが、子ども向けの玩具（おもちゃ）として販売され大人気となったのじゃ。

つづきは第2巻のお楽しみだニャ

チャレンジ1

ソーマトロープをつくろう！

難易度☆

ここからは工作のページだニャ

①から⑥までの道具と材料を準備してニャー

①32ページの**型紙をコピーしたもの**

②**絵を描く道具**（えんぴつ、墨や絵の具と筆、サインペンなどなんでも自由に描いてみよう）

③コピーした型紙を貼る**厚紙**（厚すぎると切ったり穴をあけたりするのに力がいるよ）

④型紙を厚紙に貼るための**糊か両面テープ**

⑤型紙を貼った厚紙を切り抜くための**カッターかハサミ**

⑥型紙を貼った厚紙に**穴をあけるための道具**（カッター、ハサミ、錐、千枚通しなど使いやすいものを）

⑦あけた穴に通す**輪ゴム**（ソーマトロープ1個につき２本）

つくる前に読むのじゃ！ ここからのページの注意書きじゃぞ

ここまで読んでくれてありがとう。ナリコ君とリョウ君があそんでいたソーマトロープ、きっとみんなもあそんでみたいと思ったのではないかな？

ここからのページでは、ふたりにはないしょでつくり方を伝授するぞ。

ソーマトロープの**型紙**はこの本の**32ページ**にある。まずはそのページを**コピー**するのじゃ。何枚かコピーしておくといろんな絵に挑戦できるぞ。

つぎに**24ページ「ソーマトロープをえがこう！」**をよく読んで、いよいよ自分で絵を描いてみるのじゃ。

25ページから28ページの**見本帖**はアニメーターの人たちが型紙を使って実際に描いてくれたソーマトロープ用の絵じゃよ。このページをコピーして絵を描くときのお手本にするのじゃ。ソーマトロープをつくることもできるぞ。どんなふうに見えるか、いろいろと試してみると新しい絵のアイディアが浮かぶかもしれんのう。

道具の準備ができたら、今度は**29ページ**からの**「つくってあそぼう ソーマトロープ！」**をよく読んで実際につくってみるのじゃ。30ページの⑦⑧⑨があそび方じゃよ。

ソーマトロープをえがこう！
えとぶん：わだとしかつ
①ソーマトロープは2枚の絵をひとつに合体するのだ！！
アニメ探偵 亜似目伴内
ニャルほど…。
アニメたんていって何ニャ？…
②合体するとオモシロイ組み合わせを考えよう
③位置を合わせて2枚の絵を描こう
ワンポイントアドバイス
分解！
もとの絵
はじめに1枚の絵を描いて透かしながら2枚に分解してゆくと描きやすいカモ
☆コピー用紙に濃く描くとなぞりやすい
カモニャベ…。
ゴム穴の位置でしっかり合わせて描くんだニャ！

キリヌキ
ソーマトロープ見本帖ニャ
ソーマトロープ画：和田敏克
ウウ〜…
どんなふうにみえるかニャ？
このページはコピーしてきりぬくといいニャ！
やってみよう！
ニャ〜
なんだコリャ！？
これは…。
オッ
アレ？
さあこんどはじぶんでえがいてみよう！
ニャ！
くみあわせが大事なんニャ
フムフム

このページはコピーしたものを切り抜いて使うのじゃ

ソーマトロープ見本帖

ソーマトロープ画：大塚康生

表と裏の三角形（▲）が合うように厚紙に貼ると
←こんなふうに見えるよ

このページはコピーしたものを切り抜いて使うのじゃ

ソーマトロープ見本帖

ソーマトロープ画：小田部羊一

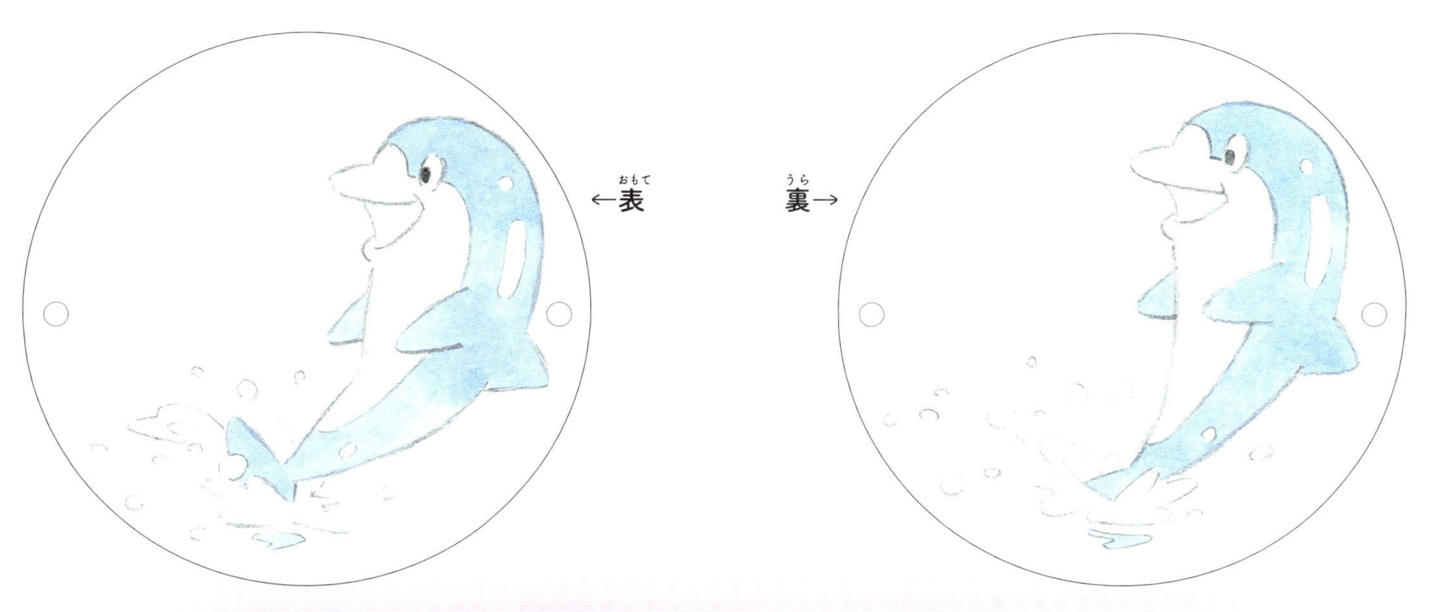

上の（↑）イルカを描いた2枚の絵は、とても似ているけどちょっとだけちがっているよ
これを回してみるとどうなるかはお楽しみ！
下の（↓）魚たちと女の子の絵は、もともとは1枚の絵として描かれたものを2つに分けたものだよ
どちらも、表の絵と裏の絵の上下をさかさまにしてはりあわせて回してみよう！

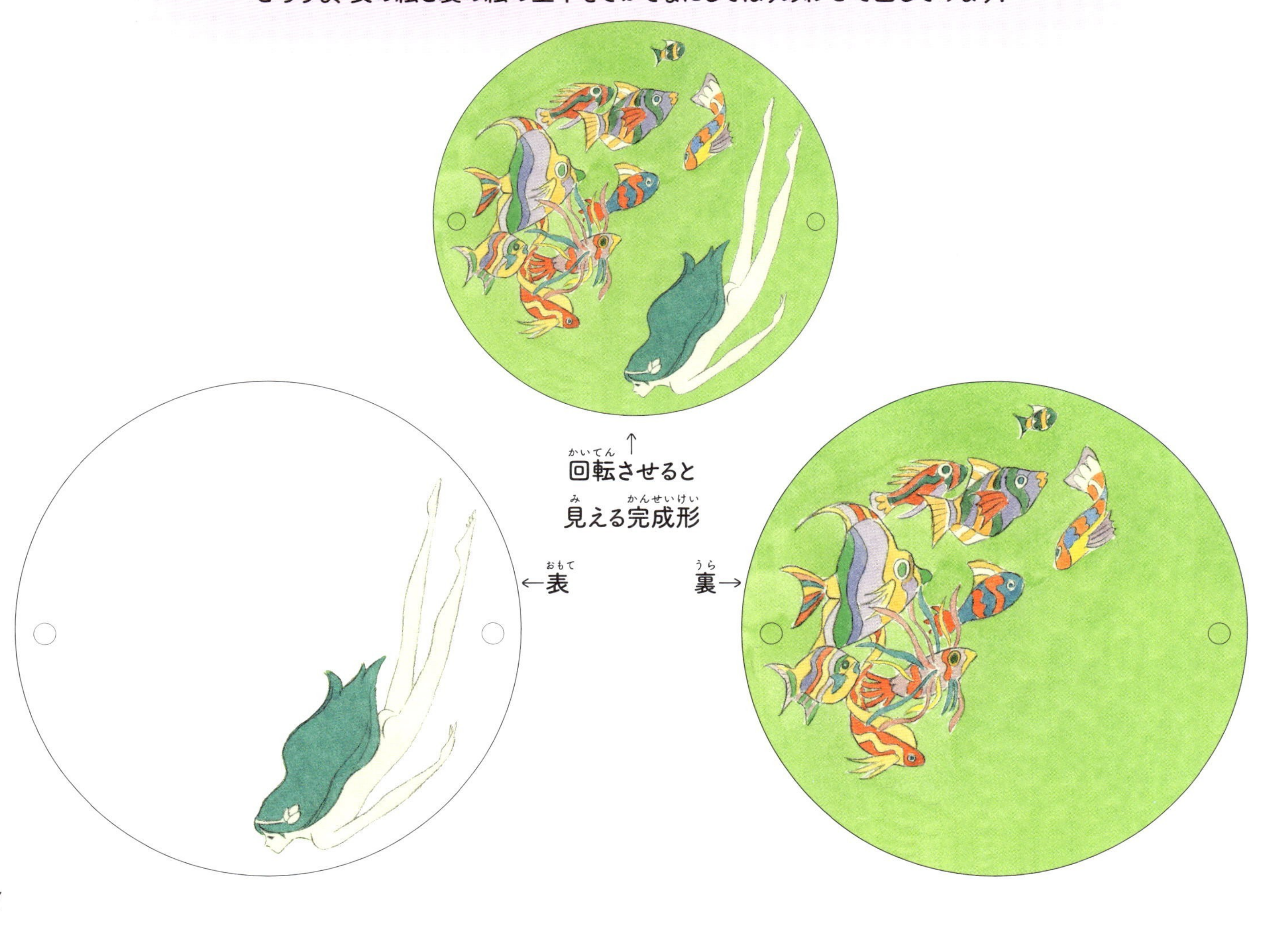

このページはコピーしたものを切り抜いて使うのじゃ
ソーマトロープ見本帖
ソーマトロープ画：わたなべさちよ
おもてが1枚にうらが2枚…
こんどのはちょっと変わってるよ！
おもて
うら
おもて
うら
うら
おもて
うら
きせかえだね
ワッ！1枚の絵で2度たのしい！
おもては2回コピーしよう
だけど…
おもてはおんなじ
なるほど

① 表の絵を厚紙に貼る

② カッターやはさみで切り抜く

③ 穴をあける

④ 今度は裏の絵を切り抜いて穴をあける

⑤ 2枚の絵の穴を合わせて背中合わせに貼る……のだけれど

⑥ 穴に輪ゴムを通してむすび目をつくる

さらにさらに
ワンポイント
アドバイス
絵を透かしながらかくときに
下から光をあてると
かきやすいのだっ
オッホン
でもどうやって？
へ～
A.まどガラスに紙をあてて
太陽の光をすかすといいよ！
うでがつかれちゃった…
乳白色のアクリル板
本
光源はあつくならない
防災用ライトがオススメ
B.その他
ライトボックス
という商品や…
C.自分で作るのもアリ！
第3ステージに行く前に
もうひとつべつの絵柄のソーマトロープをあげよう
つぎのステージへのヒントじゃ
ちゃんとお礼を言いなさい！
弟が生意気ですみません……
え？絵がちがうだけ？
つづく

このページはコピーしたものを切り抜いて使うのじゃ

ソーマトロープ 型紙

監修

大塚 康生（おおつか　やすお）

1931年生まれ。アニメーター・作画監督。日本初のカラー長編アニメーション映画『白蛇伝』（1958）で動画・原画、『少年猿飛佐助』（1959）・『わんぱく王子の大蛇退治』（1963）などで原画、『太陽の王子 ホルスの大冒険』（1968）で作画監督を務めた。テレビ『ムーミン』（1969）・『ルパン三世』（1971～72）・『未来少年コナン』（1978）、映画『ルパン三世 カリオストロの城』（1979）・『じゃりン子チエ』（1981）などで作画監督を歴任。50年以上にわたり制作スタジオや専門学校で後進の指導を担い、高畑勲、宮崎駿を筆頭に幾多の人材を育成した。おもな著書に『作画汗まみれ』（徳間書店、文春文庫）、『リトル・ニモの野望』（徳間書店）、『ジープが町にやってきた　終戦時14歳の画帖から』（平凡社）『大塚康生の機関車少年だったころ』（クラッセ）、『王と鳥 スタジオジブリの原点』（大月書店、高畑勲・叶精二らと共著）など。

編著

叶 精二（かのう　せいじ）

1965年生まれ。映像研究家。早稲田大学、亜細亜大学、大正大学、東京工学院アニメーション科講師。朝日新聞社「WEBRONZA」などに連載・寄稿多数。「高畑勲・宮崎駿作品研究所」代表。著書に『日本のアニメーションを築いた人々』（若草書房）、『宮崎駿全書』（フィルムアート社）『「アナと雪の女王」の光と影』（七つ森書館）、『王と鳥　スタジオジブリの原点』（大月書店、高畑勲・大塚康生らと共著）など。

漫画

田川 聡一（たがわ　そういち）

1974年生まれ。イラストレーター・挿絵画家。児童書から若者向けまで多彩な絵柄をこなす気鋭の画家。日本イラストレーター協会会員。『サティン・ローブ』（岩崎書店）、『鈴の音は魔法のはじまり』（ポプラ社）、『心にひびくお話　高学年』（学研）ほかのイラスト・挿絵を担当。

ソーマトロープ画

わたなべさちよ（わたなべ　さちよ）

*29-31ページの「つくってあそうぼうソーマトロープ！」も担当

1975年生まれ。アニメーター、イラストレーター。おもなアニメーション作品に『からす かぞく編』、クレージーキャッツ＋Yuming『Still Crazy For You』（PV アニメーションディレクター）、『音のおもいで』（NHK ミニミニ映像大賞グランプリ受賞）、『雨の日は、何色？』みんなのうた『しあわせだいふく』など。マンガに『風招き森のクロ』、イラストに NHK ドラマ『四十九日のレシピ』、『ロボット魔法部はじめます』（あかね書房）ほか。

和田 敏克（わだ　としかつ）

*24ページの「ソーマトロープをえがこう！」も担当

1966年生まれ。1996年より独自の切紙手法を用いたアニメーション制作を開始。NHK プチプチ・アニメ『ビップとバップ』がフランスのアヌシー等多数の国際アニメーション映画祭に入選、受賞したほか、荒井良二原作『スキマの国のポルタ』では文化庁メディア芸術祭アニメーション部門優秀賞を受賞。日本アニメーション協会常任理事。日本アニメーション学会事務局長。東京造形大学准教授。

小田部 羊一（こたべ　よういち）

1936年生まれ。アニメーター・作画監督。映画『わんぱく王子の大蛇退治』（1963）・『太陽の王子 ホルスの大冒険』（1968）・『長靴をはいた猫』（1969）・『どうぶつ宝島』（1971）などで原画、『空飛ぶゆうれい船』（1969）・『パンダコパンダ』（1972）で作画監督を歴任。『アルプスの少女ハイジ』（1974）・『母をたずねて三千里』（1976）でキャラクター・デザインと作画監督を兼務。任天堂開発アドバイザーとして『スーパーマリオブラザーズ』・『ポケットモンスター』シリーズを監修。日本アニメーション文化財団理事。著書に『小田部羊一アニメーション画集』（アニドウ）、『「アルプスの少女ハイジ」小田部羊一イラスト画集』（廣済堂出版）。

大塚 康生（おおつか　やすお）

略歴は監修に記載

上掲図版、叶精二の似顔絵はわたなべさちよ画、他はそれぞれ本人による

画像スキャニング：朝比秀和

読者対象：小学校中学年～

マンガで探検！　アニメーションのひみつ 1
ソーマトロープをつくろう

2017年5月22日　第1刷発行

監修　大塚 康生
編著　叶 精二
漫画　田川 聡一
ソーマトロープ画　わたなべさちよ　和田 敏克　小田部 羊一　大塚 康生

発行者　中川 進
発行所　株式会社　大月書店
〒113-0033　東京都文京区本郷 2-11-9
電話（代表）03-3813-4651　FAX 03-3813-4656／振替 00130-7-16387
http://www.otsukishoten.co.jp/

印刷　太平印刷社
製本　ブロケード

ISBN 978-4-272-61411-0　C8374　Printed in Japan